서른에도 우리가 스물 같을 수 있을까

발행 | 2024년 05월 7일
저자 | 김나윤
펴낸이 | 한건희
펴낸곳 | 주식회사 부크크
출판사등록 | 2014.07.15. (제2014-16호)
주 소 | 서울특별시 금천구 가산디지털1로 119 SK트윈타워 A동 305호
전 화 | 1670-8316
이메일 | info@bookk.co.kr

ISBN | 979-11-410-8345-8

서른에도 우리가 스물 같을 수 있을까

그 해 여름이 저물던 날, 나 얼마나 울었던가

떠나가는 여름에 의연해지려면 얼마나 많은 안녕을 더 건네야 하나

떠나가는 것들에게 안녕을 건네는 일은 언제나 쓸쓸하다
하지만 익숙해진다면 나는 그것 또한 아플 것만 같다

익숙해지기까지의 무수한 안녕이 있었을 테니까 말이다

•

너는 늘 내가 너로 인해 삶을 아쉬워하길 바랐다 아쉬울 게 없는 나의 삶에 유일한 이유가 되고 싶어했고, 내가 스물다섯 이후를 살고 싶게 만든 첫 번째 사람이 되길 꿈꿨다
구태여 말하지는 않았지만 사실 그런 너의 바람을 나도 알고 있었다 너는 우리의 미래에 대해 이야기 할 때면 꼭 스물다섯 이후에 대해 말하곤 했으니까 왜 하필 스물다섯이냐고 물으면 너는 그랬지 스물과 서른의 중간이라 좋다고 그 중간이라는 게 마치 철없는 어른이어도 괜찮을 것만 같은 나이 같다고, 하지만 나도 안다 너는 스물다섯이 되기 전에 죽을 거라던 나의 다짐이 사실이 될까 두려워하고 있다는 것을, 그래서 스물다섯 이후를 자꾸 약속하는 거라는 사실을 말이다

너는 스물다섯이 되어도 스물처럼 나를 사랑할 수 있니
나의 마음은 시간을 따라가지 못 하고 나는 여전히 여름을 닮은 노래만 들으며 산다 나의 스물은 당최 자라날 생각이 없다 이렇게 미련한 나의 스물다섯에 너 또한 여전히 스물 같을 수 있을까 너 혼자만 시간을 따라가 어른이 되어버린다면 남겨진 나는 어떡하지

스물다섯을 넘어 스물여섯, 스물일곱, 여덟, 아홉... 그리고 서른

그 때가 되어도 우리가 여전히 여름의 들판 위에 누워 낮잠을 자는 그런 터무니없는 상상을 할 수 있을까 우리가 여전히 서로의 여름을 매만지는 사이일 수 있을까

서른이 되어도 우리가 여전히 스물 같을 수 있을까

8

●

이상하게도 너는 모든 계절에 존재한다 나는 사계마다 여름을 앓고, 지독한 여름 장마가 돌아오면 집 밖으로 발 한 번 내딛지 않는다 적막한 새벽에는 크게 울리는 빗소리가 괜히 불안하다 불면은 그런 불안을 먹으며 증식한다

나는... 너랑 있을 때면 뭐랄까 손금을 다 풀어헤치고 다시 조합해 버리고 싶다는 그런 우스운 생각을 종종 하기도 했다

너는 봄 같은 사람이지만 이상하게도 나는 네가 여름을 닮았다고 생각했다 마치 불행을 겪어본 적 없는 듯한 너는 봄을 닮은 듯 했지만, 이상하게도 나는 네가 먹먹함을 품은 푸른 여름을 닮은 것만 같았다 그냥, 막연히 그런 생각을 자주 했다

너와 나눈 어느 여름밤의 대화를 나는 삼 개월 동안 꺼내어 먹곤 했다 쉽게 흩어지고 눈앞에 일렁이는데도 쉬이 잠을 수 없는 것들은 모두 여름을 닮았다 그리고 네가 그렇다

요 며칠 간 장마라더니 비가 잘 내리질 않았다 다행이라 여기려던 찰나에 지독하게도 여름 장마는 이제야 시작이란다

필히, 너는 여름이 아닐 수가 없다

•

겨울에 삿포로에 가봤냐는 너의 질문에 나는 고개를 저었고 너는 호박색 눈을 한껏 빛내며 그곳은 너무 하얘서 마치 세상과 동떨어진 곳 같다고 했다 또 그 곳은 너무나도 조용해서 눈 내리는 소리가 들린다고 했다 나는 눈이 내리는 소리도, 눈이 내릴 때 소리가 난다는 이야기도 들어본 적 없지만 네가 그렇다니 그냥 믿기로 했다 네가 어느 곳에는 사계절 내내 능소화가 피어있다고 말해도 나는 그걸 믿기로 했다 어느 나라에는 사계절 내내 눈이 내린다고 말해도, 어느 도시에는 일 년 삼백육십오일 내내 한 시도 비가 그치지 않는다고 말해도 나는 네가 말한 것이니 그냥 믿을 것이다
나는 가끔 서운함을 몰래 삼키는 날이면 숨죽인 채 자고 있는 네 손을 조용히 만지작거릴 때가 있다 너에게도 청춘의 의미가 나인지 생각해보곤 한다 너도 사랑을 떠올리면 내가 떠오를지 고민해보곤 한다 네가 언젠가 나이가 들고 지난 젊음을 회상할 때 그 기억 속에 내가 존재할지, 그렇다면 나는 어느 정도의 비중을 차지하고 있을지 혼자 가늠해보곤 한다 내가 스물다섯에 뒤를 돌아보아도 여전히 네가 그 자리에 있을지 상상해보곤 한다 너에게 사랑의 의미는 대체 무엇이길래 나에게 사랑한다고 말하는 건지 궁금하지만 그냥 묻어두기로 한다 생각의 무덤 위에서 불편한 잠을 청한다 결국 무의미한 생각들로 밤을 새운다 아침이 되면 꼭 네게 네가 말한 그런 곳에 나도 데려가줄 수 있냐고 물어본다 그러면 너는 늘 곤란한 표정을 지으며 이런 저런 핑계들로 둘러댄다 사실 나도 안다 그런 곳은 없다는 것을 하지만 불구하고 나는 네가 들려주는 다른 세상에 대한 이야기들을 좋아한다 허무맹랑하고 삶을 살아가는 데에 있어 무용한 이야기라지만, 아무래도 나는 좋다

나 언젠가 삶이 버거웠던 적이 있었다 무작정 현실로부터 도피하고 싶었다 그리고 그 날 밤 나는 네게 너와 함께 능소화가 만개한 숲 속에서 함께 발 맞춰 춤을 추고 싶다고 말했다 너는 또 호박색 눈을 빛내며 그런 곳이 있냐고 했다 있다고 대답했지만 사실 숲에는 능소화가 피지 않는다

아... 나는 그제야 네가 왜 그런 이야기들을 했는지 깨달았다

•

나는 보지 못 했지만 며칠 전 눈이 내렸단다 너도 눈을 봤을까 궁금함과 동시에 너 또한 내가 눈을 봤을까 궁금해 해주기를 바랐다 그리고는 일전에 네가 말했던 눈 내리는 소리를 상상해봤다

나는 때때로 길을 잃고 싶을 때가 있다 너는 몰랐겠지만 삶이 버거울 때가 나에게도 있었다는 말이다 이제 와 고백하건대 그런 때에는 너의 온기조차 차갑게 느껴지곤 했다 하지만 모순적이게도 이런 나의 방황에 네가 함께 해준다면 그건 더 이상 방황이 아닐 거라는 생각도 했었다
여름이 지나가니 무기력해졌다 펜을 잡는 일이 드물어졌다 그럴 때면 내가 여름에 썼던 글을 정독한다 문득 서글퍼진다 겨울의 나는 그런 글을 쓸 수가 없다 서글퍼지면 또 다시 눈 내리는 소리를 상상해본다 그러다 우리 삿포로에 가기로 하지 않았나, 문득 지난 기억이 떠올랐다 맞다, 우리 그랬지,
나 사실 혼자 삿포로에 갔다가 너와 우연히, 운명적인 재회를 하게 되는 상상을 했다 만약 삿포로에서 너를 마주하게 된다면 나는 아무 말 없이 네 손을 잡고는 소복하게 쌓인 눈 위에 누워 단지 하염없이 눈 내리는 소리를 들어보고 싶다

있잖아, 나는 여전히 종종 밋밋하고 버거운 삶을 산다 무색무취의 삶 말이다 근데 또 있잖아 너와 함께 했던 그 해 여름을 떠올리면 순식간에 내 주위가 온통 푸른색으로 물든다 신기하지 네가 나한테 얼마나 사랑의 의미였는지를 나는 이제야 알게 되었다

몇 번의 여름이 가고 또 한 번의 여름을 보냈다 다음 여름에는 네가 다시 올까 남 몰래 기대를 한다 언제라도 네가 온다면 나, 내가 할 수 있는 가장 사랑스러운 고백을 네게 건넬 거다 다음 여름에는 눈이 내리는 곳에 가자고, 우리가 사는 세상과는 완전히 다른 세상에 가서 눈 내리는 소리를 들어보자고

나는 내가 스물다섯이 되기 전에 꼭 여름에 너와 함께 눈 내리는 소리를 들어보고 싶다

●

너는 너의 스물에 내가 있어 다행이라고 했지만 나는 언젠가 네가
너의 스물에 내가 있었음을 불행이라 여기는 날이 올까 봐 늘 불안
했다 그리고 그 불안은 손 쓸 새도 없이 정말 그렇게 되어버렸지

청춘을 앗아간 여름을 그저 미워해야만 하나, 고작 스물이었던 너
와 나의 청춘은 무더운 어느 여름 속에서 진득하게 녹아내려 형태
를 잃어버렸다 하지만 내가 정말 슬펐던 건 네가 변한 것보다 나는
여전하다는 거였다 이제 너에게 스물은 불행했던 시절로 기억되겠
지만 나는 여전히 나의 스물에 네가 있어 다행이었다는 생각을 한
다 그 시절의 우리가 어떤 모습이었는지 이제는 나 또한 가물가물
하지만 나는 가끔 스스로 나의 기억을 미화시키곤 한다

스물에 했던 우리의 사랑은 전부 비참했다
참 아팠다 그치
근데 왜, 우리 분명 힘들었는데 도대체 왜...
시간이 지나면 왜 푸르렀던 것들만 남게 되는 걸까

너도 스물 여름의 그 순간을 사랑했을까
너도 가끔은 그 해의 여름을 그리워할까

●

너는 내가 참 겨울 같으면서도 따뜻하다고 했다 사랑한다는 말을
하지 않아도 너를 사랑하는 내 마음을 너는 알 수 있다며 여름보다
는 겨울이 더 좋다고 했다

그렇다면, 한여름에도 내가 보고 싶어진다면 외출할 때는 철 지난
패딩을 꺼내어 입고 잠을 잘 때는 두꺼운 솜이불을 덮고 자렴

그런 시덥잖은 말을 건네며 나는 웃고 있었나...

내가 없던 지난여름 동안 너는 비 같은 땀을 몇 번 흘렸을까
나 이제 여름이 되었는데 너는 여전히 겨울을 더 좋아할까

무용한 생각을 하는 날은 유난히 마음이 춥다
오늘 밤에는 솜이불을 덮고 자야겠다

•

이제 밤에는 슬슬 여름 냄새가 풍긴다 곧 유월이다

유월이 되면 나는 또 장마에 젖어 무력해지겠지 그래, 올해 여름에도 나는 어김없이 그렇게 되겠지 손도 못 쓴 채 잠겨버리겠지

올해도 어김없이...

알고 있으려나 너는 단지 조금 다정했을 뿐인데 나는 네 다정으로 인해 수많은 밤 동안 불면을 앓았다는 것과 덕분에 나의 여름은 온통 너로만 가득하다는 사실을
나는 종종 계절마다 누군가 떠오른다는 것은 축복일까 싶어 감사하다가도, 불행인 것 같아 이따금씩은 미워지기도 한다 너를 미워하다가 나를 미워하고, 나를 미워하다가 너를 미워하고, 결국 하필이면 그 시절에 서로를 사랑해버린 우리를 미워하고... 그의 반복이다 우리 사랑은 누구의 잘못이었을까 싶다가 우리의 사랑에 잘못이라는 단어가 끼어있다는 것에 서글퍼지곤 한다 여름이 머지않았을 때마다 나는 그 굴레 속에 빠져버린다 계절을 닮은 누군가를 그리워하는 일이 이다지도 아픈 일인 줄 알았더라면 나는 너에게 여름을 닮았다는 말 따위는 꺼내지 않았을 거고 여름에 무수한 의미를 덧붙이지도 않았을 거다

너 없는 여름이 거듭될수록 삶은 나태해지고, 더 이상은 여름에 피어나는 능소화를 볼 자신이 없다 여름만 되면, 얇아지는 옷차림 탓에 나의 어깨에 새긴 능소화조차 마주하기가 힘들어진다

미련하다 우리는 사랑 하나만 했을 뿐인데... 단지 그 뿐인데, 사랑이 끝나고 나면 미움까지 따라온다

•

그 날, 행여나 네가 돌아보지 않을까 싶어 나는 네 뒷모습을 한참 바라보고 있었다 너 떠난 뒤 내 방에는 한동안 습기가 가득했다 집에 돌아오자마자 머리끝까지 뒤집어 쓴 이불 안은 여름 내내 눅눅했다 여름이 저물면 내 마음도 어느 정도 저물 것이라 믿었지만 나는 여전히 여름에 살고 있다 겨울에도 여름의 흔적을 좇기 일쑤다

마음만으로는 되지 않는 것들이 유월에 널려있다 사랑만으로는 할 수 없는 것들이, 놓으면 괜찮을 줄 알았지만 사실 그렇지 않았던 것들이 유월에는 널려있다 그러나 유월의 달력을 넘기기 전에 네가 온다면 나는 이 모든 것을 털어버릴 수 있다

부디 내 손 끝이 유월 달력을 넘기기 전에 와줄래, 넘기는 찰나에 급히 도착해도 괜찮으니 나와 함께 여름으로 돌아가지 않을래

만약 끝내 너 없이 유월을 맞이하게 된다면, 나는 꽤나 쓸쓸하겠다

•

아마, 작년 이맘쯤부터 유서를 쓰기 시작했다 나는 언제 죽어도 이상하지 않은 사람이니 나 떠나고 남겨질 나의 여름들에게 천천히 편지를 남겨두자는 마음으로 말이다

외롭다 느껴질 때는 늘 혼자 새벽 산책을 했다 고요한 적막을 견디기 힘들 때는 시끄러운 마음의 소리들을 정리하기 위해 조용히 글을 썼다 죽음을 갈망하는 날이면 꼭 지나간 여름을 회상했다 내가 사랑했던 것들과 나를 사랑해주던 것들을 떠올리다 보면 마음이 아쉬워져 다시 삶을 붙잡곤 했다

모든 것은 떠나기 마련이다 그 사실은 나 또한 그렇다 내 곁에 오래 머물지도 않을 것들을 곧잘 사랑하다 보니 어느새 나의 마음 한 켠에는 여름이 줄줄이 줄을 서있었다 하지만 이제 와 다시 생각해 보면 그런 생각이 든다

그것들이 정말 여름을 닮았었나

삼십 도를 넘어 순간마다 바싹바싹 치솟는 더위를 여름이라 부르는 건 당연하지만, 나는 그냥 한겨울에 느낀 겨우 오 도쯤을 여름이라 느낀 건 아니었을지, 그냥 사는 것이 고달파 가벼운 마음을 애써 여름이자 사랑이라 믿어버린 건 아니었을지, 어쩌면 사랑받고 싶었던 마음에서 파생된 나의 모순은 아니었을지...

그런 생각을 하다 보니 나의 안에는 더 이상 여름이 남아있질 않다 따지고 따지다 보니 남은 여름이 없다

●

시월이 돌아올 때마다 죽고 싶었던 나는 열아홉 시월에 너를 만나고 처음으로 살고 싶다는 생각을 했다 너의 온기가 나를 살렸다고 하면 너는 무슨 표정을 지을까 너는 몰랐겠지만 나는 너와 손을 잡을 때마다 삶을 다시 다짐하곤 했다 스물다섯이 되기 전에 죽을 거라던 굳은 다짐이 네 손을 잡을 때마다 무너졌다 스물다섯 이후에도 여전히 네 손을 마주잡는 삶을 상상하기도 했다 너는 무수한 죽음 앞에서 나를 다시 일어나게 만들곤 했다 내가 너로 인해 얼마나 많은 죽음을 뒤로 하고 너에게로 향했는지... 그 모든 순간들은 단언컨대 사랑은 재난이라고 굳게 믿었던 나의 마음이 완전히 붕괴되는 순간이었다

나를 사랑하지 않는 내가 너를 너무 사랑해서 살고 싶었다 나의 아픔을 보고 눈물을 비추던 네가 소중했다 불면이 심한 나를 위해 팔 저리도록 밤새 팔베개를 해주던 네 마음이, 나의 머리를 하염없이 쓰다듬어주던 네 손길이 따뜻했다 너를 보고 있으면 숱하게 쓰이는 시시하고 유치한 문장들을 입술이 다 헐도록 읊어도 나는 좋을 것만 같았다 가끔은 사랑보다 더 사랑을 표현할 수 있는 단어들을 밤새 찾아 헤매기도 했다

이제 와 고백하건대, 나는 가끔 네 손을 잡고 싶다는 핑계로 일부러 핫팩 없이 빈손으로 나가기도 했다 추위를 느낄 새도 없이 맞잡았던 네 손의 온기를 나는 여전히 기억한다 너는 네가 여름이 아니라고 했지만 너는 분명 나에게 여름이다 이다지도 다정한데 어떻게 여름이 아닐 수 있겠나, 너는 네가 어찌나도 여름을 닮았는지 모른다

너의 품은 유일하게 내가 악몽을 꾸지 않았던 공간
너는 유일하게 내가 스물다섯 이후의 삶을 상상하게 만든 사람

너는, 단언컨대 분명한 나의 여름이자 나의 청춘이다

•

겨울이 되었음에도 불구하고 여름의 흔적이 곳곳에서 숨 쉬고 있다

눈 내리는 창밖에는 이상하게도 여전히 여름을 닮은 것들이 존재한
다 여름처럼 다정한 너를 닮은 것들이 흰 눈 속에서 가삐 숨을 쉬
고 있다 흰 것보다 푸른 것들이 자꾸 눈에 들어온다

너는 단번에 나에게 여름이었는데, 나는 너에게 여름이기 위해 얼
마나 더 많은 노력을 해야 할까

•

나는 여름이 조금은 게을렀으면 좋겠다는 생각을 하곤 한다

나는 시월에도 여름에 살고만 싶다 시월에도 만개한 능소화를 보고
싶다 여름은 왜 이다지도 빠르게 지나가버리는 걸까 종종 생각한다
가끔은 여름이 훑고 지나간 흔적을 보며 아쉬워한다 가령, 바닥에
널브러진 채 사람들의 발자국이 역력한 능소화 꽃잎이나 어느 순간
부터 일찍 저물기 시작하던 해를 자각할 때가 가장 그렇다 그래서
이따금씩은 바닥을 보지도, 하늘을 보지도 않은 채 앞만 보며 걸을
때가 있다 꽃이 저물고, 해가 짧아지고, 계절이 흘러가고… 이 모든
것이 너무나도 당연한 순리인데, 나는 그 순리가 와 닿을 때마다
슬퍼지곤 한다

그래… 내가 이렇게나 어리석다

지난여름에 나는 아팠다
이만하면 충분하다고 생각한다 그러니 봄 지나 돌아올 이번 여름에
는 너도 따라 여름으로 와 그냥 못 이기는 척 여름의 손을 잡고 내
게로 오라 따라오기만 하면 돼 너를, 나를, 우리를 위한 들판이 여
기 있으니 이번 여름이 부지런해진다 하더라도, 그냥 이번만큼은
내 곁으로 와줄래

지난여름에, 내가 너무 아팠다
그러니 부디… 부디 이번 여름에는 못 이기는 척 내 손을 잡아줄래

추신- 행여나 여름이 저물고 끝내 네가 오지 못 했다면, 다음 여름 필
무렵 내가 찾아갈 테니 걱정 말고 좋은 봄날을 보내고 있길 바라

•

너는 나의 여름이라는 말을 처음 네게 건넸을 때, 사람을 계절에 빗대어 생각하게 되면 그건 삶을 흔들어놓을 만큼 특별한 일이라고, 삶에 몇 없을 귀한 경험이라고 네가 그랬었다
계절은 고작 일 년에 네 개 뿐이고 우리는 그 사계의 굴레 속에서 많은 세월을 살아가야 하는데, 그러한 삶의 여정에 계절을 닮은 사람을 품게 된다면 그건 특별한 일이 아닐 수가 없다고 말이다
구태여 입 밖으로 내뱉지는 않았지만, 나는 어느 계절을 닮은 사람이 나의 인생에 너 하나 뿐은 아닐 거라 생각했다

네 말의 반은 맞았고 반은 틀렸다 나의 삶에 여름이 당연히 너 하나 뿐은 아니었지만 너는 나의 삶을 흔들어놓은 태초의 여름, 나는 새로운 여름과 마주할 때마다 네가 겹쳐보였다 그들 또한 분명 여름이었으나, 나는 그들을 온전하게 여름으로 여기기가 어려웠다 나에게 그들은 단지 너를 닮은 사람에 불과했다 오만한 건 나였던 거다 처음 삶을 흔들어놓은 사람이 앞으로 삶의 기준이 된다는 걸 몰랐다

여러 번의 여름(의 형태를 띠던 불확실한 것들)을 보내고 어느덧 제법 많은 해가 바뀌었다 그간 네가 오지 않았던 시간을 세어보았다 꽤나 길었다 내가 너 없이 이만큼을 열심히도 살아왔단다 달력을 넘겨보며 네가 오지 않았던 시간들을 재차 확인해보려다 수없이 넘어가는 시간에 결국 마음이 베였다

앞으로는 해의 끝마다 달력을 넘겨보지 않기로 다짐했다 그리고 더이상은 내 삶의 여정에 또 다른 여름을 만들지 않을 거라 다짐했다

●

언젠가 나의 청춘에 관한 책을 출판하게 된다면 그 책의 주인공은 분명 네가 될 거라는 생각을 했었다 스물, 청춘이라는 단어를 감히 쓰기에는 조금 미숙했던 나이지만 너를 사랑하는 마음은 고작 나이에 국한될 수가 없었다

내가 너를 떠올릴 때면 늘, 그럼에도 불구하고 라는 문장이 따라붙곤 했다 가령 청춘의 정의를 단정 짓기에는 어린 나이였지만 그럼에도 불구하고, 정답이 무엇이든 간에 나의 청춘의 의미는 단언컨대 너일 거라 확신하던 그런 생각 따위 말이다

나는 사랑에 유난히 열정적이고 용감했던 스물의 내가 여름마다 떠오르곤 한다 그 때도 지금도 나는 그 시절의 나를 사랑한다 내가 또 언제 그렇게 사랑에 열정적일 수가 있겠나 싶다 하지만 너는 그 시절 나에게 내가 너무 낭만만을 좇는 사람이라고 했었지

맞다, 나는 여전히 낭만을 사랑하고 여름을 사랑하고 너를 사랑한다 글쓰기를 좋아하던 어린 스물의 나는 그대로 자라서 아직도 글의 환상에 빠져 살고 현실성 없는 문장을 좋아하고 사소한 단어들을 잘도 사랑한다 내가 여전히 너를 떠올리는 이유 또한 내가 낭만을 좇는 사람이라 그런 거겠지 나의 낭만은 언제나 너였으니까
다홍빛 능소화가 네 붉은 뺨과 닮았다며 그 때부터 능소화를 좋아하게 된 그 시절의 나와 지금의 나는 달라진 것이 없다 사실 나이의 앞자리가 바뀌면 너를 잊을 수 있을 줄 알았건만 그건 착각이었다 여름을 맞이할 때마다 너와 손을 잡고 거닐던 어느 여름날로 돌아간 듯 하다

잊혀진 줄 알았더니, 그래서 그저 한여름의 풋사랑이었다고 생각하려 했더니... 지독한 여름이었구나 너는

추신- 나는 계절 중에서 여전히 여름을 가장 좋아해, 너와 닮았거든

•

나 어젯밤에는 여름이 들이닥치는 꿈을 꿨다

창문을 열어보니 장마가 시작되어있는 그런 꿈 말이다 나는 우산도 없이 장마 속에 몸을 내던지고서는 한참을 서있었다 눈을 뜨고 허겁지겁 블라인드를 걷어 올리고 나서야 꿈인 줄을 알았다 다 무뎌졌다고 생각했는데 아니었다 나는 여전히 여름 속에 살고 있었다 여름은 저문 지가 한참인데 나의 마음은 여전히 스물에 머물러 있었다 그 사실을 나만 자각하지 못 했다

우리가 스물이었던 그 해의 여름을 떠올릴 때면, 그 날은 유독 밤이 길곤 했다 모든 마음이 스물을 향하고 있다 나는 여전히 그 해의 여름을 붙잡고 있었다 무뎌진 것이 아니라 묻어둔 것임을 그제야 깨달았다 한 때는 찬란하고 순수했던 청춘이, 이제는 눅눅해졌다 감히 청춘이라 부를 수 있었던 그 마음은 이제 쓸모가 없어졌다

나는 그걸 자각하는 밤이면 괜히 마음이 시려오곤 했다

•

장마철이 시작 되면 한없이 불안해진다 여름이 되면 나는 유독 사랑하는 일이 잦아진다 그 중에서도 유난히 불안정하고 불완전한 것들을 사랑하곤 했다

나에게 여름은, 때때로 얕은 사랑이 난무하는 계절이었다 여름만 되면 낯선 것들에게서 쉽게 다정을 얻고, 호기심을 사랑이라 여기고, 외로움을 외면하고, 불안함을 쾌락으로 해소하는 나쁜 버릇이 생기곤 했다 하물며 하룻밤 사랑에 죄책감을 느끼지도 못 했다 안정적이고 완고한 것들을 사랑하다 보면 나도 언젠가 그렇게 될 것이라 믿던 때가 있었다 하지만, 안정적인 것을 향한 마음은 사랑보다는 동경 혹은 존경에 더 가까웠다는 걸 몰랐다

안정적인 것들을 사랑할 때보다, 불안정한 것들을 사랑할 때 나는 더 행복했다 불안정한 것들에게서 얻는 안정, 나만 불안한 것이 아니라는 생각으로부터 받는 위안, 모순적인 위로 유일하게 그것들이 나의 숨통을 트이게 했다 결코 건강하지 않은 사랑이라는 것을 알면서도 나는 그랬다 그래서, 나는 가끔 어쩌면 우리가 느낀 건 사랑이 아니라 동질감이 아니었을까 싶을 때가 있다

너와 나, 둘 다 늘 마음이 불안한 사람이었으니까

•

여름이다

너는 여름을 싫어했다 너의 첫사랑의 생일이 여름이라며, 여름만 돌아오면 잊고 지내던 첫사랑이 떠오른다고 말했다 그리고 치기어린 마음일지 모르겠지만 첫사랑의 생일에는 비가, 유난히 많이 내리길 기도한다고 했었다

예상하지 못 한 것들과 예상한 것이 뒤섞여 한꺼번에 들이닥치는 것은 늘 무방비 상태일 때 그랬다 시간이 흘러도 지나가지 않을 것만 같던 것들은 머릿속을 비우며 생활하다 보면 생각보다 빠르게 나를 지나가곤 했다 반면 생각조차 나지 않을 것 같았던 것들은 간간히 떠올라 나를 괴롭혔다 의미를 부여할 이름조차 없는 사소한 것들이 언젠가 더 아프다더니, 맞다 이름이 없으니 정의 내릴 수도 없어 괴롭다 예를 들면 활짝 웃어야만 보이는 너의 양쪽 짙은 보조개라던가 내 방 한 켠의 핫팩 무더기에 왜 먼지가 쌓여있는지 곰곰이 생각해보니 너의 손이 늘 따뜻했다는 것 한바탕 싸우고 서먹하게 밥을 먹으러 가도 늘 내 앞에 먼저 수저를 놓아주던 것 불면중인 내가 곤히 잠에 들 때까지 팔베개를 해준 채 끊임없이 머리를 쓰다듬어주던, 뭐 그런 것들 말이다

다시, 여름이다

너 떠나고 어영부영 살다 보니 어느덧 추운 날이 다 갔다 나는 네가 왜 첫사랑의 생일에 비가 많이 내리길 기도했는지 알 것 같다

너의 생일도 여름이지, 나 바라건대 이번 여름에는 네가 싫어하는 비가, 유난히 많이 내렸으면 좋겠다

●

내가 네게 전한 문장들은 날카롭도록 선명한 감정이었는데 네가 내게 건넨 것들은 그저 활자에 불과하다고 느껴질 만큼 가벼웠다 네 말들은 내게 닿기도 전에 공중에서 흩어져버렸다 당연하지 않은 것들이 네게는 당연하게 네 앞에 서 있었겠지만, 내게는 한 번쯤 당연해도 될 법한 것들이 늘 당연하게 존재하질 않았다

이제 네게 같이 겨울 바다를 보러 가잔 말은 안 할 거다 너는 나에게만 일찍 찾아온 시월의 크리스마스 같다는 말도, 너는 내 생애 최고의 크리스마스 선물이라는 그런 사랑고백도 안 할 거고 정해진 곳 없이 그냥 어디로든 도망쳐버리자는 말 따위도 안 하기로 했다

근데 있잖아 이렇게 다짐했는데도 네가 나 한 번 잡아주면 나는 모든 다짐들이 한순간에 무너진다 나는 네 앞에서만 유난히 약해진다 네가 한 번 다정하게 굴면 너를 사랑하지 않을 거라는 굳은 다짐이 순식간에 무너진다 나는 많은 걸 바라지 않는다 단지 네가 사랑의 무게를 알았으면 좋겠다 나는 너를 사랑하지 않는 일이 가장 어려운데 너는 네 기분에 따라 나를 사랑할 수도 있고 안 사랑할 수도 있었잖아 오늘 또 다짐을 하지만 내일은 또 무너질지도 모른다

나는 너를 한 치의 저항 없이 너무 사랑한다 가끔 그 사실이 밉다

•

서툴고 솔직하지 못 한 나는 가끔 자고 있는 네 손을 만지작거릴 때가 있다 하고 싶은 말은 쉼 없이 목 끝까지 차오르는데 내뱉을 줄을 몰라 입 안에서 사탕처럼 굴리기만 한다 그러다 끝내 녹아버린다 내뱉어지지 못 한 말들은 혀 안에서 그대로 즉사하는데 그 말들의 마음은 여전히 내 입 안에 남아있다 입 안에서는 감정들의 단내가 풍긴다 미처 전하지 못 한 감정들의 단내가 말이다

종종 네 모든 것 하나 하나에 감정이 반응하는 나를 보며 내가 사랑 때문에 삶을 다짐하기도 하는 사람임을 느꼈다 이런데도 네가 내 청춘이 아니라면 대체 뭐겠어

스물다섯에 뒤를 돌아보아도 여전히 네가 있을까 그 때가 되어도 나의 청춘을 여전히 너라고 감히 말할 수 있을까 그 때가 되면 모든 것을 깨닫게 될까 어쩌면 그 때도 나는 감정을 내뱉는 방법을 모를까 방법을 깨우쳤어도 방법을 모른다는 핑계로 지금처럼 괜히 자고 있는 네 손을 만지작거릴 수 있을까 네가 보고 싶어지면 뒤를 돌아 너를 안을 수 있을까 그때에도 여전히 내가 네 이름 석 자 발음하는 일이 당연한 일이 될 수 있을까

나는 있잖아 자고 있는 네 손을 만지작거리며 이런 생각을 하는 지금조차 내일이면 깨버릴 달콤한 꿈이 아닐까 한다 이 모든 것이 그저 망상으로 기억 될 한여름 밤의 환상 같은 게 아닐까라는 생각을 하곤 한다

나의 스물다섯에도 여전히 네가 나의 여름이자 청춘일까
그럴 수 있을까?

●

같이 차를 타고 어느 고속도로 한복판을 달리던 날, 우리를 강하게 스치는 여름 내음 가득한 바람에 꼭 사랑의 도피를 하는 것 같다며 킥킥대던 우리가 아직 여기 머물러있다 비 오던 날 우산을 버리고 어린 아이들처럼 비를 맞으며 같이 뛰어놀던 우리는 또 어땠는지, 나는 감히 그 때를 청춘이라 부른다

그 여름의 향기를 너는 기억해야 한다
남은 생애 동안 더 이상 우리라는 단어는 두지 않을 거라던 너와 내가 닳도록 서로를 우리라 부르던 그 시절의 향기를, 같이 낡아가 자며 감히 서로를 사랑이라 칭하던 어느 여름날의 우리를 말이다 유난히 무더웠던 그 해 여름을, 다시는 돌아오지 못 할 그 해의 사 랑을 너는 기억해야 한다

구태여 왜냐고는 묻지 않았으면 좋겠다
생각해봐, 내가 아니라면 너 누구랑 그런 사랑을 할래

•

여름이 완전히 지나갔으니 이제야 솔직하게 말할 수 있겠다
사실 한 때 여름에 잠기다 못 해 잠식됐을 때 나는 퍽 행복했었다
어느 해의 여름은 사랑을 무뎌지게 만들 정도로 무척이나 무더웠다
나 가끔은 고작 강한 햇볕 하나에 무뎌지는 네 사랑을 미워하기도
했지만, 이제 와 생각해보면 너를 미워한 적은 결코 한 순간도 없
었다 그리고 그 사실은 때 아닌 겨울에도 이따금씩 나를 무너지게
만들곤 했다

나는 유독 네 앞에만 서면 솔직해지곤 했다 그런 내가 지금 결코
너를 미워한 순간은 없다 말하고 있다 이게 무슨 뜻인지 너도 알겠
지

그래, 나는 불가항력적으로 너를 사랑할 수밖에 없다는 뜻이다

한 번의 여름이 또 지나갔고 너는 이번에도 오지 않았구나
올해 겨울은 유난히... 유난히 길겠다

•

손톱자국이 남을 만큼 네 손을 세게 잡으면 꽉 쥐여진 손이 아파서
라도 네가 나를 볼까 했다

너는 나의 생애 중 유일무이한 유일, 확신보다도 더 확실한 확신이
었다 이다지도 너는 나에게 특별했다 반면 너에게 있어 나는 어떠
한 의미일까 종종 궁금했다 그러나 사실은 내가 너에게 어떠한 의
미인지보다 '내가 너를 생각하는 만큼 너 또한 나를 특별하게 여기
는지'가 더 중요했다 그렇기에 구태여 묻지는 않았다 답을 알게 되
면 실망하게 될 것 또한 어렴풋이 알고 있었기에, 나는 차라리 아
쉬움 조금 묻어있는 관계로 남는 것을 택했다 때로는 모든 것이 명
확한 관계보다 아쉬움이 남아있는 관계가 더 좋을 때도 있다

나 또한 너의 의미를 말해주지 않았다 너 역시도 종종 나를 궁금해
하기를 바랐기 때문이다 내가 너에게 준 사랑이 무슨 뜻이었는지,
어떤 마음이었길래 사람이 사람을 그토록 사랑할 수가 있었던 건지
를 말이다

나는 말이다 시간이 지나도 네가 나를 궁금해 하기를 바랐다 너는
그런 내가 불안해보였으니 그럼 그것도 틀린 건 아닐 것이다 사람은
무언가를 사랑하면 위태롭고 불안해지기 마련이고, 나는 어중간히
사랑하는 것에 모든 마음을 쏟는 사람은 아니었으니

언젠가 너의 손등 위에 새겨진 나의 조그마한 불안이 특별히 여겨
진다면 좋겠다

•

어느 해의 여름은 일언반구로도 설명할 수 있을 만큼 보잘 것 없곤 했지만 유독 스물의 여름은 온갖 문장을 가져다 붙여도 밤을 새워야 할 만큼 길고 길었다 나는 비 오는 날을 죽도록 싫어하지만 네가 비 맞는 게 좋다고 하면 기꺼이 우산을 내려놓고 너와 함께 몇 시간이고 비를 맞을 수 있었다 너와 함께할 때의 나는 비가 올 것만 같은데 빨래를 걷을까 말까, 오늘 이 옷을 입을까 저 옷을 입을까 그런 걱정만이 전부인 사람이었다 현실에 안주한 채 시덥잖고 시시콜콜한 그런 걱정만 하면서 사는 사람, 왜냐하면 나는 너만 있다면 모든 게 괜찮았거든

네가 없는 나의 스물을 그려본 적 없다
나는 네가 떠나는 상상만 해도 눈시울이 붉어지곤 했다 너와 종종 산책을 하던 기억 때문에 나는 겨울에도 산책하기를 좋아한다 그런 사소한 습관조차 고치질 못 하면서 시간이 지나면 너를 비워낼 수 있을 거라는 그 마음이 얼마나 오만하던지, 너 없이도 잘 지낼 수 있을 거라는 나의 오만을 뼈저리게 느꼈던 순간 나는 한참을 빗속에 서있었다

어느 여름은 분명 그 해 여름보다 더욱 따스했는데, 이상하게 나는 그 때만큼 열정적이지 못 했다 그 순간 알게 됐지 여름이 몇 번 돌고 돌아야 너를 잊을 수 있을까 그런 건 아무런 소용도 없는 걱정이었다는 걸

나는 평생 동안 무수한 여름 속에서 늘 너를 떠올리게 될 거다

•

늦은 밤의 어귀에 가만히, 앉아있으면 네가 불어오곤 했다

너에게서 처음 사랑한다는 말을 듣고 집으로 돌아가는 길에 설레는 내 마음 하나 주체를 못 해 집으로 마구 뛰어가던 그 날의 내가 여전히 여기에 있다 침대에 누워선 볼을 연신 꼬집어보던 내가, 네 생각에 잠 못 이루던 어느 가을밤의 내 모습이 여전하다

많은 밤을 지새워도 잊혀지지 않는 것이 있다
여름이 손가락 열 개를 지나쳐도 여전한 것이 있다

그 날의 기억들은 모든 것이 그대로다 모든 것이 제자리에 있는데 너만 홀로 시간을 맞이한 것만 같다 떠난 것은 알 수 없다 남겨진 것들의 마음을 말이다 남겨진 것들의 온기는 필히 남겨진 것들끼리만 느낄 수 있다 떠난 이는 결코 알 수가 없다
시간은 야속하게도 비디오테이프처럼 뒤로 감기가 안 돼서 너는 아마 평생을 모른 채 살아가게 될 거다 너 없이 홀로 남겨진 나의 마음을, 우리가 스물이던 그 해 여름에 우리가 얼마나 찬란했는지를 너는 이제 알 수 없을 거다 너는 시간을 너무 많이 앞서갔다

이상하게도, 시간이 아주 많이 지난 지금도 늦은 밤의 어귀에 가만히 앉아 노래를 듣고 있노라면 종종 네가 불어올 때가 있다 가끔은 겨울에도 그리웠던 그 여름의 향이 시린 내 코끝을 스치고 지나갈 때가 있다 그러면 나는 그 자리에 한참 앉아 어린 아이처럼 엉엉 운다 그것 말고는 할 수 있는 게 없다

•

그 여름에 내가 너를 사랑한다는 건 다가오는 겨울 그리고 그 이듬해 여름에도 우리 꼭 함께 하자는 나의 고백이었다

나는 눈이 내리면 네 손 꼭 잡고서 소원을 빌고 싶었다 —우리가 영원했으면 좋겠다 영원이라니 너무 터무니없지만 어쩌면 우리가 영원이라는 단어를 처음으로 지킨 사람들이 될 수도 있잖아— 그런 시시콜콜한 대화를 나누며 염원을 담아 소원을 빌고 같이 겨울바다의 낭만에 빠져들고 누가 더 눈사람을 잘 만드나 내기하다 결국 손이 시려워 둘 다 만들기를 포기하고, 그렇게 너랑 같이 겨울을 사랑하고 싶었다 여름이 지나가면 따라 우리도 저물어가자는 그런 말이 아니었다 단지 한여름 밤 잠깐 반짝하고 마는 그런 찰나의 사랑을 하자는 말이 아니었다

영원이 존재하지 않는 이유는 어쩌면 영원을 믿는 우리의 마음이 영원하지 못해서가 아닐까
영원을 믿지 않으면서 영원을 바라고 있다 어쩌면 이런 마음 때문에 내가 너를 놓친 건 아닐까 하는 생각이 든다

•

너 떠나고 홀로 남겨진 나는 생각보다 괜찮지 않은 것들이 많았고 생각보다 많은 것들이 괜찮지 않았다 느껴지지도 않는 것들에게 시도 때도 없이 날것의 감정들을 꺼내어 보여주었다 언젠가는, 이라는 희망 하나가 오래토록 나를 괴롭혔다 밤마다 얄팍한 꿈을 꾸곤 했다 때로는 철 지난 여름을 곱씹거나 음미했다 체할 걸 알면서도 지난 사랑을 주워 먹었다 네가 생각나면 지난여름의 대화를 되새김질했다 유통기한 지난 대화를 자꾸만 묵혀두었다 그것들이 나를 더 죽어가게 만든다는 것을 알면서도 말이다

여름이 손가락 다섯 번 스쳐 지나가면 뭐가 좀 달라져있을까 여름이 손가락 열 번 정도 스쳐 지나가면 내가 너를 잊으려나 짧은 내 머리가 허리에 닿을 때 즈음이면 여름에 의미를 두지 않고 그저 사계 중 가장 더운 계절일 뿐이라 치부할 수 있을까

●

여름이 남겨두고 간 것들을 그 다음 해 봄이 되어서야 꺼내보는 습관이 생겼다

생각해보면 나의 여름들은 늘 여름의 끝자락에 나를 떠나가곤 했다 무더운 열기가 한 김 가시고 가을의 향기가 코끝에 일렁일 때 즈음 나의 여름도 따라 서서히 저물었다 나는 나의 생애 가장 무더웠던 여름을 종종 떠올린다 저물었던 열기는 어딘가에서 아지랑이 피어 났을까 다른 곳에서 또 다시 여름의 모습을 하고 있을까

나는 언제나 철 지난 여름 속에서 산다 철 지난 여름 속에서 살다 보면 종종 너무 푸른 것은 구분하기가 어려워진다 너무 다정한 것들은 쉽게 수용하기가 어려워진다 멍을 자주 때린다 그럴 때마다 여름의 잔상은 다른 계절보다도 유난히 진득하다는 생각을 자주 하곤 했다 시간이 지나면 괜찮아질 줄 알았는데 그 생각이 무색하게도 늘 처음인 마냥 아팠다

여름은 푸르지만 그렇다고 해서 여름의 그림자마저 푸른 건 아니었다 그걸 몰랐다 여름을 되새기는 일이 이다지도 아픈 일인 줄 몰랐다

●

나는 단지 사랑 하나만 했을 뿐인데 사랑이 끝나고 나면 많은 것들이 나를 아프게 했다 하지만 그런 굴레 속에서도 나는 끊임없이 사랑을 좇았다 아무런 조건 없이도 순수하게 사랑을 할 수 있었던 때가 있었지만 나의 순애를 무시하듯 사랑은 늘 보란 듯이 내게 생채기를 남겼다 나는 생채기들을 그저 열렬한 사랑의 증표라고 생각했고 그것을 자주 들여다보기도 했다 사랑에 상처받아도 그걸 치유해주는 건 결국 사랑이 유일하다고 믿었다 그래, 내가 그렇게나 바보 같았다 이제는 뭐가 사랑인지 모르겠다 이번엔 정말 사랑일 거라 생각하면 우습게도 늘 사랑이 아니었으니까

내 기억 속에는 여전히 선명한 몇 번의 여름들이, 이미 내 곁에는 지나가고 없다 무뎌져가는 여름 속에서 청춘은 계속해서 낭비되고 있다 청춘이라 불리우던 여름의 기억은 무뎌진지 오래다 세월은 빠르게 퇴색되어 가고 있다 중요한 것들을 자꾸만 놓치는 기분이다 위화감이 든다 이제는 무엇이 중요했는지를 잊어버린 것 같다 괜히 코끝에 여름 내음 맴도는 노래만 들으면 청춘이 다시 내 곁에 돌아온 것만 같아서 나는 계절 상관없이 늘 여름 같은 노래들만 듣는다 여름을 다시 맞이하면 청춘이 다시 뒤돌아볼 것만 같다는 착각을 하며 산다

어쩌면 나는 지금 이 순간조차 청춘을 낭비 중인 건 아닐까?

•

권태로운 여름은 틈 없이 다른 꿈을 꾸게 만들었고 적막한 여름은 마음 한 구석에 불안을 심었다 고요한 여름은 혼자인 게 두려워 사랑을 갈구하게 만들곤 했다 나를 괴롭히는 무수한 여름들 중에서도 나 가장 두려웠던 건 사실 너 없는 여름이었다는 것을 너는 알 턱이 없었다

어쩐지 너무 덥더라니, 그 해의 여름은 사랑을 무뎌지게 만들 정도로 무더웠다 내일도 모레도 글피도 다음 주에도 다음 달에도, 계절은 계속 여름이라는 사실에 가끔은 숨이 막혀 눈물이 날 정도였다 자주 아팠다 여름은 왜 이리 긴 거냐며 원망하기도 했다 나는 여름을 사랑하지만 종종 여름으로부터 벗어나고 싶었다

어쩌면, 이제는 여름을 완전히 사랑이라고 말할 수 없겠다
그래, 여름은 애증이다 어쩌면 나는 너를 미워했던 걸지도 모른다

●

사랑에 미숙했기에 생긴 실수들도 그저 경험이라고 치부하고 넘어갈 수 있었던 날들이 있다 스물의 끝자락에 서 하염없이 너를 외치던 날들이 여기에 있다 사랑 때문에 살고 싶었던 적은 없지만 때때로 죽음 속에서 나를 구원하는 것은 사랑이기도 했던 날들이 여전히 여기에 있다

한 때는, 한 때는 그런 날들이 있었다
이제는 지나간 일인 듯 애써 한 때라고 말하곤 하지만 우습게도 너 이후 내가 사랑하게 된 것들은 전부 너를 닮아있었다 가령 갈색을 띤 눈동자라던가, 겨울에도 여름의 향기를 내뿜는 것들, 여름을 닮아 다정할 줄 아는 사람들 나는 그런 요소들을 곧잘 사랑하곤 했다 그것이 여전히 여름의 흔적을 좇고 있다는 것의 증명임을 모르고 말이다

아…, 여름!
사랑마저 무뎌지게 만들 정도로 무더웠던 어느 여름, 그 속에서 작열하는 태양을 손에 쥐고 애타게 사랑을 찾던 그 시절의 내가 여전하다 나는 여전히 여름을 앓고, 겨울이라곤 조금도 사랑할 줄을 모른다 그러니 나는, 그 모든 날들을 결코 한 때라고 부를 자격이 없겠구나...

•

나의 불면과 불안이 유일히 숨을 쉬던 공간은 너의 품이었다 이따 금씩 나는 미지근한 너의 말에도 쉽게 손을 데이곤 했지만 너를 보고 있으면 나는 줄곧 여름에만 사는 기분이었다 너라면 나에게 사계 따위는 아무런 의미가 없었다 내 삶의 이유는 온전히 너였다

그리고 이 모든 것을 너는 평생을 살아도 모르겠지

...
네게 조금은 늦은 여름 안부를 묻는다
나는 나름 잘 지낸다 너는 어떻게 지내는지 자주 궁금하다

이 편지가 네게 닿길 바라면서도 한 편으로는 네가 내 사랑을 평생 몰랐으면 좋겠다 알게 된다 한들 네가 나를 다시 사랑할 일은 없다는 걸 알고 있기 때문이다

그렇기에, 너의 대답은 그냥 모르는 채 남겨두고 싶다

●

사랑이 밥 먹여주는 건 아니지만 사랑이 있어야만 나는 밥을 먹을 수 있다고 생각했었다 그만큼 사랑은 나의 구원이었다 사랑이 전부였던 스물 그 해의 여름을 뭐라고 설명해야 할까, 그 해의 여름은 담배가 다 젖어버려 한 개비를 완전히 피우지도 못 할 만큼 장마가 유독 거셌다 그럼 나는 다시 한 개비를 도로 꺼내어 입에 물었다 네다섯 번을 채 피우지도 못 하고 젖어버리면 또 다시 담배를 꺼내어 물었다 그의 반복이었다

우습게, 나의 사랑도 그와 다를 것이 없었다 열 번 부러지고 무너지는 마음을 나는 열 한 번 붙잡고 또 사랑을 했다 겨울이 되어도 나는 종종 여름을 회상하곤 했다 그 무수한 회상 중 너 없는 여름은 없었다 늘 네가 존재했다

한 때 나 다시는 여름에 관한 글을 쓰지 않을 거라 다짐했던 때가 있었으나, 그 다짐은 보란듯이 무너졌다 나의 여름에는 아직 네가 가득하고 나는 여전히 여름을 닮은 사람에 관한 글만 쓰며 산다 올해는 무언가 조금 다를 거라 생각했지만 나는 돌아오는 여름에도 어김없이 너에 대한 글을 쓰고 있을 것만 같다 스물 그 해에 너를 마주한 것은 너와 나의 피할 수 없었던 인연이자 거스를 수 없었던 운명이었음을 너를 사랑하는 것 또한 어떻게 할 수 없는 나의 숙명임을 결국 인정하고 살아가기로 했다

이 모든 것 전부 내가 어찌 할 도리가 없는 나의 필연이겠지...

•

너를 닮은 것이라면 나는 곧잘 사랑해 버리곤 했다 가끔은 외로움
을 이기지 못 해 가벼운 사랑을 했다 불안정한 것이나 건강하지 못
한 것들에게 쉽게 눈길이 갔다 순간 머물다 떠날 마음을 다정으로
착각해 마음을 베이기가 일쑤였다

네가 없는 여름 동안 나에게는 의미 없는 사랑만이 늘어갔다

여름이 남겨두고 간 것을 다음 해 봄이 되어서야 꺼내어 보는 습관
이 생겼다고 내가 말한 적 있던가, 나는 달라진 게 없다 네가 떠난
그 해의 여름은 벌써 세 번의 봄을 지나쳤는데도 나는 여전하다 어
리석겠지만, 사실 여름의 흔적을 봄에 들추어보는 습관을 내가 비
로소 무뎌졌다는 것의 증명이라고 여겼다 이제는 모든 것이 괜찮아
졌기에 지난 추억을 들추어도 아무렇지 않은 것이라고 믿었다

하지만 솔직하게 말할까, 지난여름의 흔적들을 꺼내어 볼 때마다
나는 내심 이번 여름에는 네가 와주길 바라는 기도를 했다 무뎌졌
기 때문에 지난여름을 들추어본 것이 아니었다는 말이다

너는 이번 여름이 닥치기 전에 왔어야 했다 내가 이번 여름에 잠식
되기 전에 너는 나에게로 왔어야 했다

사실 나는... 줄곧 네가 보고 싶었다

●

나는 한 순간도 너를 미워한 적이 없었다 그건 불가항력적인 나의
숙명이었다 너를 떠올릴 때 느끼는 이 마음은 분명 사랑이고 이게
사랑이 아니라면 나는 평생을 살아도 사랑을 깨우칠 수 없을 거라
는 확신을 했었다 이 마음은 단언컨대 확신보다도 확실한 것이라고
말할 수 있을 만큼 너에게 건넨 것들은 단호한 사랑이었다

나는 여전히 네가 떠난 여름날에 누워있다
네가 지난여름에 남겨두고 간 사랑한다는 문장을 그간 수천 번도
넘게 어루만졌다 말의 온도가 줄곧 지속되고 있다 문장에 담긴 네
마음의 유효기간이 참 길다 여름에 들은 사랑한다는 말이 여전히
나를 살게 만든다

그래, 이제는 인정을 한다 너는 그 때도 지금도 나를 살게 한다 너
를 잊으려 애쓰던 지난날들은 흘려보내기로 했다 너는 어떠한 의미
로 나에게 소중했다 설령 미화된 기억이라 한들 아무래도 나는 좋
다 그냥 그렇게 믿는 것이다

그리고 너 또한 나를 사랑했던 시절이 분명 존재할 거라고 말이다

●

나의 스물, 그 시절 여름에는 실패했던 흔적들이 역력하다

그 해 여름에는 모든 것이 실패였다 청춘이라 여길 수 있는 순간이 분명 존재했지만 나는 실패한 여름을 더 이상 여름이라 부를 수 없었다 단 한 번의 실패가 찬란했던 순간들마저 뒤덮어버렸었다

그간 채 아물지도 않은 상태로 지난여름을 둘러보려다가 날카로운 시간에 마음을 베이기가 일쑤였다 덕분에 흘러가는 시간보다 지난 시간이 더 첨예하다는 사실을 배웠다 하지만 그랬던 시절이 무색하게도 지금의 나는 아무렇지 않게 그 해 여름을 꺼내어 볼 수 있다

너는 이따금씩 나를 죽이곤 했고, 나는 그런 너를 미워하기도 했지만... 이제 와서 그런 것은 아무래도 상관이 없다 나는 너를 사랑으로 기억하고 싶다 그래서 나는 미워하는 마음을 비우기로 했다 나는 이제야 사랑을 올바르게 발음할 수 있다 그간 나 얼마나 많은 시간을 제대로 발음하지 못 한 채 살아왔는지...

나 이제야 늦은 사랑 고백을 한다
나는 이제야 아무렇지 않게 여름을 발음할 수 있다 너 또한 종종 나를 무너지게 만들곤 했지만 그럼에도 불구하고 나를 살린 것은 늘 간간히 건네오던 너의 다정이었다 실패 속에서 나를 살린 것은 언제나 너였다 모든 것이 위태롭던 그 시절 그 해 여름에 나는 너를 사랑했다 나는 모든 것에 지쳤어도 네 이름만큼은 다정히 부를 수 있었다 너를 바라보는 것만으로도 나는 그 순간들을 청춘이라 여기곤 했다

그러니까, 나의 생애 청춘이라 여길 수 있었던 순간에는 전부 네가 존재했다는 말이다

●

12월의 프랑스 파리에 얼마나 많은 여름이 널려있는지 알고 있니

파리의 어느 정원에 앉아 물끄러미 분수를 보고 있으면 나는 문득 너와 내가 우리였던 시절이 떠오르곤 했다 그 시절의 우리는 고작 손을 맞잡고는 그것을 위로라 여기기도 했고, 가끔은 이마를 맞대고 그것을 사랑이라 부르기도 했었지

나는 간간히 다정하다는 말을 들었지만, 그 누구에게도 너에게 건넨 만큼의 다정은 보여준 적 없었다 나는 지금도 어김없이 고작 너와 손 한 번 맞잡은 것을 위로라 여길 거다 고작 이마를 맞대는 것만으로도 그것을 사랑이라 부를 거다 너와 내가 우리여서 다행이었던 시절이 존재해 다행이다 우리가 우리일 수 있던 시절이 하필이면 스물의 여름이라 좋다 스물이어서 가능했던 것들, 지금 하면 우스울 법한 것들을 나는 지금도 기꺼이 할 수 있다 당신 앞에서 나는 한없이 유치한 사람이어도 좋다는 말이고, 다정은 오직 당신에게만 건네고 싶다는 뜻이다

너와 나를 다시 우리라 부를 수 있는 날이 온다면, 다시 너와 내가 손을 맞잡고 이마를 맞댈 수 있는 날이 온다면 그 때는 내가 보았던 12월 프랑스의 넘쳐나던 청춘들을 너에게 밤새 이야기할 거다

화창한 날에 마주한 에펠탑이 어찌나 예뻤는지부터 그 밑에서 키스를 하던 연인들, 내가 자주 갔던 레스토랑의 유쾌하고 친절하던 직원들, 이방인인 나를 다정히 대해준 현지인들, 하물며 꽃을 들고 파리의 거리를 거닐던 그 날의 향기가 얼마나 싱그러웠는지까지, 전부 다 말이다 아마 열 밤을 지새워도 시간이 부족할 거다

•

어제는 마음이 시끄러워서 못 다 한 유서들을 다시 끄적였다 불면이 심해 술을 마셔야만 그나마 잠에 든다 내가 스물에 머물러 있는 것은 이제 말할 필요도 없는 당연한 이야기다 죽고 싶을 때마다 나의 여름들에게 유서를 쓰는 버릇도 그대로다 밤마다 너를 나열하는 습관과 네가 오지 않았던 시간들을 손가락 접어가며 세는 미련한 습관 여름을 닮은 사람에 대한 글을 쓰고 네게 사랑을 갈구하던 스물의 나는 그대로 자라버렸다 나는 빠르게 변해가는 세상과 달리 뒤처져있다 스물은 당최 자라날 생각을 않는다 흘러가는 시간을 따라잡을 방법이 없으니 나의 마음도 여전히 어리숙할 수밖에 없다

나는 네가 어떻게 지내고 있을까 이따금씩 궁금하다 어느새 여름을 건너뛰었니 아니면 계절이 바뀐 것도 모른 채 바쁘게 살아가고 있니 내 사랑이 눈에 보일 정도로 너무나 확실하다던 너는 이제 어떤 사랑을 원동력 삼아 살아가고 있니 나는 쓸쓸할 때마다 우리 함께였던 여름의 대화를 꺼내먹곤 하는데, 너는 어머니 여름의 대화를 꺼내먹니 겨울의 대화를 꺼내먹니

나는 우습게도 그 대화들이 상하지는 않았을까 쓸데없는 걱정들을 한다 너는 나의 이름마저 잊어버렸을 수도 있는데 말이다

•

네가 그랬지 우리가 헤어져도 매년 내 생일마다 편지하겠다고,
그리고 나는 이제 생일마다 너를 기다리게 될 거라고 말이다

너는 지정된 날짜에 발송되는 편지를 작년 여름에 보냈고, 그 편지
는 수개월이 지나 올해 삼월, 나의 생일 이틀 전에 우리 집 우편함
에 도착했다.

조금 색 바랜 얇은 흰 종이에 꾹꾹 써내려간 검은 글씨들, 글을 읽
다가 자꾸만 눈물에 글이 번져서 여러 번 다시 읽어야만 했다 말도
안 된다고 생각했지만, 고작 종이 한 장에 네 말은 보란 듯이 현실
이 됐다 그건 더 이상 허상이 아니게 됐다 손에 잡히는 형상이 되
었고, 정말 내가 너를 기다리게 될 것임을 증명하는 자취가 되었다

나는 이제야 네 말의 의미를 깨닫게 되었다 생일이 되면 나는 잊고
살다가도 너를 떠올리게 될 거라는 너의 자신이었고, 모두 잊고 살
다가도 생일에는 너를 기억해주길 바라는 너의 순애였다 계절은 아
직 여름이 아닌데 덕분에 나는 벌써부터 여름에 살게 되었다 언젠
가 더 이상 네게서 편지가 오지 않는다면, 그렇다면 나는 조금 쓸
쓸하겠다

여름이 남겨두고 간 것을 봄이 되어서야 꺼내어 보는 습관은 오로
지 너로 인해 생긴 것이다

•

혼자가 좋은 사람에게 가장 좋지 못 한 건 사랑이라는 문장을 본 적이 있다 나는 그런 마음을 너를 만나고 난 후 알게 되었다 2인분의 사랑이 끝나면 1인분의 외로움을 알게 된다 빈자리의 공허함을 알게 되면 그 이전의 삶으로 돌아가기가 어려워진다 때때로 이해라는 건 고통을 동반한다 쓸쓸하다 혼자가 좋았던 나는 너 없는 여름 동안 바람 한 점에도 쉽게 흔들리는 사람이 되어버렸다 비가 내리면 마음이 젖지 않게 유지하는 방법을 잊어버렸다 그래서 장마철이 되면 죽은 듯 지냈다 몇 차례 너 없는 여름을 무의미하게 보내고 나니 나는 내 자신조차 재미없는 사람이 된 기분이었다

나는 한 차례 여름을 보내고 나면 그 여름의 의미를 담아 꼭 초가을 즈음에 타투를 새기는 버릇이 생겼다 언젠가 네가 돌아오면 하나씩 설명해주고 싶었다 이 능소화는 그 해 여름의 능소화가 유난히 붉어서 새긴 거라고 이 나비는 오월의 포르투갈에서 본 나비라고 어느 여름에 보았던 이 바다는 수심을 알 수 없는 것이 마치 너를 향한 나의 그리움과 닮았다고

나의 양쪽 팔에는 내가 너에게 들려주고 싶은 여름의 목록이 가득하다 내가 너 없이 이다지도 오랜 여름을 보내왔구나, 더 이상은 채울 곳이 없다는 사실에 서글프다가도 네가 오면 해줄 이야기가 많아 이따금씩 나는 들떠있다

·

네가 노래를 흥얼거리면 그 속에서는 아지랑이 내가 피어난다 나는 네가 만들어 낸 여름에 힘없이 잠겨 눈을 감고는 여름 속에서 익사 한다면 그건 필히 축복일 거라는 생각을 했다 어두운 적막이 세상 을 내리덮어도 털 끝 하나 가려지지 않는 순백의 외로움이 있다 고 요한 나의 외침은 수 만키로 밖 외지에도 닿는데 정작 십리 안팎에 있는 너는 나를 모를 때가 있다 종종 의지만으로는 할 수 없는 것 이 있다 가끔은 사랑으로도 어려운 것이 있다 여름조차도 품을 수 없는 것이 존재한다는 말이다

나는 너의 여름이 얼마나 푸른빛을 띠는지 알 수 없고 너는 나의 여름에 얼마나 많은 청춘이 널려있는지 모른다 나는 너의 여름을 모르고 너는 나의 여름을 들여다보지 않는다 그러니 너와 나는 서 로의 여름을 알 턱이 없다 외면했지만 사실 알고 있다 아무리 노력 해도 나는 끝내 너의 여름이 될 수 없고 나의 사랑으로는 너를 품 을 수 없다는 사실을 말이다

그렇다면 내가 네 사랑에 잠겨죽겠다

너는 나의 사랑에 익사할 생각이 없으니 내가 네 사랑에 기어코 빠 져죽겠다 너의 사랑은 나를 잠기게 할 만큼 크지도 깊지도 않기에 스스로 몸을 바짝 엎드려야 되겠지만 나는 그 또한 괜찮다 어쨌거 나 너의 사랑에 익사할 수만 있다면 말이다

•

지난여름에 보았던 능소화가 여전히 나의 눈동자에 박혀있는데 여름은 이미 나를 한참 앞서갔다 나는 단지 잠깐 눈 감은 듯 한데 어느새 푸른 것들은 사라진지가 오래다 무더웠던 어느 여름날, 이 더위가 채 가시기 전에 유서를 완결할 거라 다짐해놓고는 아직까지도 완성하지 못 했는데 몇 밤 지나면 벌써 다음 여름이 돌아온단다 시간이 그렇게나 많이 흘렀단다 내가 가만히 여름을 회상하는 동안 시간은 야속하게도 속절없이 흘러갔다는 말이다 실감이 나지 않는다 어쩌면 믿고 싶지 않은 걸지도 모른다

너도 알고 있을지 모르겠다만 그리움은 때때로 삶을 다시 다짐하게 만들기도 한다 나 역시 그랬다 다음 여름에는 너를 볼 수 있을지도 모른다는 기대가 겨울마다 나를 살아가게 했다 그게 내가 살아있는 까닭의 전부였다 그래, 나 사실 너를 기다리며 사는 삶이 나쁘지만은 않았다 하지만 이제 그런 기대는 접어두기로 했다 더 이상은 너를 그리지 않기로 다짐했다 앞으로는 나의 청춘의 의미도, 내가 여름을 회상할 때 떠오르는 것도 전부 네가 아니게 될 거다

나는 그냥 여름에 눈이 내리는 곳에 가서 살고 싶다
지금이 여름인지 겨울인지 가늠할 수 없는 곳에서 말이다

하지만, 눈이 내리면 나는 지금이 여름임을 자각하게 되겠지